Am yr A

Magwyd Anthony Horowitz ar straeon arswyd ac y mae'n dal i ymddiddori mewn pethau sinistr a brawychus. Pethau a digwyddiadau cyffredin bywyd bob dydd sydd wedi ysbrydoli'r straeon yn y llyfr hwn. Mae hyn yn wir am y rhan fwyaf o'r straeon yng ngweddill y gyfres. Ond y mae tro yng nghynffon pob un o'r straeon i'n hatgoffa y gall unrhyw beth ddigwydd, hyd yn oed mewn lle diogel. Dyw pethau erchyll, annisgwyl, brawychus ac iasol byth yn bell i ffwrdd.

Mae Anthony Horowitz yn awdur llwyddiannus nifer o lyfrau sydd wedi gwerthu'n dda, gan gynnwys straeon ditectif, straeon antur a straeon am ysbïwyr. Mae'r rhain wedi'u cyfieithu i dros ddwsin o ieithoedd. Mae e hefyd yn sgriptiwr teledu adnabyddus. Y mae'n un o sgriptwyr *Poirot*, *Midsomer Murders* a *Foyle's War*. Mae Anthony'n byw yn nwyrain Llundain.

> 'Nofelydd plant o'r radd flaenaf'
> – TIMES EDUCATIONAL SUPPLEMENT

> 'Perffaith i ddarllenwyr sy'n hoff o ddigwyddiadau rhyfedd'
> – SCHOOL LIBRARIAN ASSOCIATION

> 'Annisgwyl a chyffrous'
> – BOOKS FOR KEEPS

LLOSGI

I Silvia, Hen, Ben a Tim –
roedd hi'n dda eich gweld.

LLOSGI
ISBN 978-1-904357-20-9

Rily Publications Ltd
Blwch Post 20
Hengoed
CF82 7YR

Cyhoeddwyd am y tro cyntaf gan Orchard Books yn 2000

Cyhoeddwyd yn wreiddiol yn Saesneg fel *Burnt*
Burnt Copyright © Anthony Horowitz 2000

Addasiad gan Tudur Dylan Jones
Hawlfraint yr addasiad © Rily Publications Ltd 2010

Mae Anthony Horowitz wedi datgan ei hawl dan Ddeddf Hawlfraint,
Dyluniadau a Phatentau 1988 i gael ei gydnabod fel awdur y llyfr hwn.

Noddwyd gan Lywodraeth Cynulliad Cymru

Cysodwyd gan Wasg Dinefwr, Llandybïe, Sir Gaerfyrddin

www.rily.co.uk

Argraffwyd a rhwymwyd yn y Deyrnas Unedig
gan CPI Cox & Wyman Ltd, Reading, Berkshire.

ANTHONY
HOROWITZ

ADDASIAD TUDUR DYLAN JONES

LLOSGI

RILY

Cynnwys

LLOSGI
9

clust y
MWNCI
37

y stori
ARSWYD leiaf a
ysgrifennwyd erioed
65

LLOSGI

Gorffennaf 10
Tair wythnos ym Marbados.

Gwesty crand ar y traeth. Syrffio, hwylio a sgïo dŵr. Popeth wedi'i dalu amdano. Mae'n swnio fel prif wobr ar raglen deledu, ac mae'n siŵr y dylwn i fod ar ben fy nigon. Neu ar ben draw môr y Caribî o leiaf. Ond dyma'r newyddion drwg. Dw i'n mynd efo Wncwl Nigel ac Anti Sara.

Dwedodd Mam wrtha i bore 'ma. Mae'r babi newydd i fod i ddod ganol Awst, a dydy hi ddim yn bwriadu mynd i unman. A fyddai Dad byth yn mynd hebddi hi. Mae o wedi gwirioni ar y syniad o gael babi arall. Os bydd o'n treulio llawer mwy o amser yn Mothercare, bydd yn siŵr o gael swydd yno. Y pwynt ydy, os na fydda i'n mynd gyda Nigel a Sara, fydda i ddim yn cael gwyliau haf, ac mae Mam yn meddwl y byddai'n haws i bawb pe bawn i allan o'r ffordd. Dyma sy'n dod o gael babi arall dair blynedd ar ddeg wedi'r un diwethaf. Yr un diwethaf wrth gwrs oedd . . . fi.

NODYN AM SARA HOWARD.

Mae hi dipyn yn hŷn na Mam, ac yn edrych yn hŷn hefyd. Pedwar deg rhywbeth? Mae'n ymladd yn erbyn mynd yn hen, ond mae arna' i ofn ei bod yn colli'r frwydr. Gwallt llwyd, sbectol, a wyneb ychydig bach yn fain. Dydy hi braidd byth yn gwenu, er, mae Mam yn dweud ei bod hi'n dipyn o gês pan oedd hi'n iau. Mae ganddi lygaid bach duon sy'n cuddio llawer. Mae Dad yn dweud ei bod hi'n gyfrwys. Fyddech chi byth yn gallu dweud beth sydd ar ei meddwl hi.

Does dim plant ganddi, ac fe ddwedodd Mam ei bod hi'n hapus i fynd â fi i Farbados, ond dw i'n gwybod yn wahanol. Fe glywais i'r ddwy ohonyn nhw'n siarad neithiwr.

SARA: Mae'n ddrwg gen i Susan. Alla i ddim mynd â fo. Y peth ydy, mae gen i gynlluniau.

MAM: Ond os nad wyt ti'n helpu, Sara, fydd Tim ddim yn cael gwyliau. Bydd o'n fachgen da, ac fe dalwn ni . . .

SARA: Ddim yr arian sy'n bwysig.

MAM: Mi ddwedest ti dy fod di eisiau helpu.

SARA: Dw i'n gwybod, ond . . .

Ac yn y blaen. Roeddwn i'n meddwl pam ei bod hi'n ymddwyn mor od. Efallai ei bod hi eisiau bod gyda Wncwl Nigel, dyna'r cyfan.

NODYN AM NIGEL HOWARD.

Dw i ddim yn ei hoffi o. Dyna'r gwir. Yn gyntaf, mae'n ddyn mor chwithig a hyll nes fy mod i'n teimlo embaras dim ond wrth fod yn ei gwmni. Mae'n dal, yn denau ac yn foel. Mae ganddo wyneb crwn a gwelw, dim gên ond gwddf hir iawn. Mae'n fy atgoffa i o estrys afiach. Daw ei ddillad i gyd o Marks & Spencer, ond does dim byd yn ei ffitio'n iawn. Prifathro ysgol breifat fechan yn Wimbledon ydy o, ac mae o wrth ei fodd yn fy atgoffa i o hynny. Mae'n cael yr un effaith arna' i ag ewinedd yn crafu ar fwrdd du. Beth tybed welodd Sara ynddo fo?

Awst 12

Aros neithiwr yn nhŷ N & S yn Llundain. Tŷ teras o oes Fictoria, yn llawn lleithder. Y cesys wedi'u pacio, ac wrth y drws yn barod i fynd. Rydyn ni'n dal i ddisgwyl y tacsi. Cafodd fy wncwl ac anti dipyn o ffrae amdano fo. Hi gafodd y bai am beidio â defnyddio'r cwmni tacsi yr bydd o wastad yn ei ddefnyddio.

NIGEL: Mae Speedway'n hollol ddibynadwy. Pam na alwest ti Speedway?

SARA: Achos ti wastad yn dweud eu bod nhw'n rhy ddrud.

NIGEL: Er mwyn dyn, ddynes! Faint ti'n meddwl fydd o'n gostio os methwn ni'r awyren?

Wedyn fe ffraeon nhw am y pacio. Mae'n debyg fod Wncwl Nigel wedi rhoi'i fryd yn llwyr ar gael lliw haul. Fyddwn i ddim yn meddwl bod hynny'n bosib, achos mae'i groen o'n chwyslyd, ac mae'n siŵr nad ydi o erioed wedi gweld yr haul. Fe ddwedodd Dad unwaith mai'i ffugenw o yn yr ysgol lle mae'n dysgu ydy Pen Porej. Mae'n hollol addas achos mae'r ddau'r un lliw. Beth bynnag, roedd Nigel eisiau bod yn siŵr fod Sara wedi pacio'i eli haul ac yn y diwedd roedd yn rhaid iddi agor y cesys i brofi'i bod hi wedi cofio.

Roedd chwe photel o hylif ganddo. Y poteli hynny sy'n sownd wrth ei gilydd a gwahanol rifau arnyn nhw. Y rhifau uchaf oedd yn eich amddiffyn fwyaf rhag yr haul. Roedd ganddo olew i'w roi'r peth cyntaf yn y bore, a mwy o olew ar gyfer ei roi'r peth olaf yn y nos. Roedd ganddo olew ar gyfer mynd i'r môr, olew ar gyfer croen sensitif ac olew rhag pelydrau UVA. Ond doedd o'n dal ddim yn hapus. 'Wyt ti wedi agor hwn?' gofynnodd, gan afael yn un o'r poteli. 'Wrth gwrs ddim, cariad,' atebodd Sara. Rhoddodd hi'r botel yn ôl yn y cês, a'i gau eto.

Mae'r tacsi newydd ddod. Gan fod Wncwl Nigel wedi gwylltio cymaint ei fod yn hwyr, fe dorrodd o ffiol flodau wrth y drws. Dyma'r ffiol gafodd Anti Sara gan Mam ar ei phen-blwydd. Mae hi wrthi'n sgubo'r darnau bach rŵan.

Awst 15
Mae pethau'n dechrau gwella.

Mae Barbados yn lle gwych. Coed palmwydd ymhob man, a dw i erioed wedi gweld môr cyn lased. Wrth nofio, gallwch chi weld pysgod o bob lliw a llun, ac mae'r nos yn llawn o sŵn bandiau dur ac arogl rŷm. Mae'r traethau'n ymestyn am byth ac mae hi'n ferwedig yma. Nawdeg gradd o leiaf. Mae ein gwesty ni yng ngorllewin yr ynys, yn ymyl Lôn y Bae Melyn. Mae'n fach ac yn fodern, ond yn union ar y traeth. Mae'n lle cyfeillgar, ac mae bechgyn o'r un oedran â fi yn aros yma, felly fydda i ddim ar fy mhen fy hun.

Beth bynnag, mae N & S bron â bod wedi anghofio amdana' i, ac mae hynny'n iawn gen i. Mae Sara wedi treulio'r deuddydd diwethaf wrth y pwll, o dan ymbarél haul mawr, yn darllen nofel gan Stephen King. Dydy Nigel ddim yn hoffi Stephen King. Fe gawson ni araith hir ganddo fo dros swper am sut mae straeon arswyd yn anaddas ac yn apelio at reddf waelodol pobol . . . beth bynnag mae hynny'n ei feddwl. Mae'n debyg ei fod wedi gwahardd llyfrau *Goosebumps* o'i ysgol.

Mae wedi bachu gwely haul ar y traeth, ac wedi treulio'r diwrnod cyfan yno, yn gorwedd ar ei gefn yn ei drowsus nofio Marks & Spencer. Gorfododd i Sara rwbio Ffactor 15 drosto i gyd, a dw i'n gallu dweud na wnaeth hi fwynhau'r profiad. Heb ei ddillad, mae Nigel yn llwyddo i ymddangos yn fain ac yn dew yr un pryd. Does ganddo ddim cyhyrau o gwbl ac mae ei fol bach tew yn hongian dros linyn ei drowsus nofio. Mae ganddo flewiach coch dros ei gorff. Mae'n rhaid mai gwallt coch oedd ganddo cyn iddo fynd yn foel. Fe wyliais i Sara yn llithro'i dwylo dros ei frest a'i ysgwyddau ac yn rhwbio'r olew yn ei groen, a gallwn i weld yr olwg ar ei hwyneb, fel petai hi'n canolbwyntio'n galed ar beidio â bod yn sâl.

Pan oedd hi'n darllen, a fo'n torheulo, es i am dro efo Cassian. Mae o'n dair ar ddeg, ac yma am bythefnos efo'i deulu. Maen nhw'n dod o Crouch End, heb fod yn bell o lle dw i'n byw. Aethon ni i nofio a snorclo. Wedyn chwaraeon ni denis ar gwrt y gwesty. Mae Cassian yn mynd i ofyn i'w rieni a gawn ni archebu beic môr fory, ond mae o'n dweud na fyddan nhw'n fodlon talu am ddim byd ond pedalo.

Swper yn y gwesty. Cwynodd Wncwl Nigel am y gwasanaeth, a gofynnodd Sara iddo fo siarad yn dawelach am fod pawb yn gwrando. Ro'n i'n meddwl eu bod nhw am ffraeo eto, ond yn ffodus roedd hwyl dda ar Wncwl Nigel. Roedd o'n gwisgo crys polo gwyn, ac yn dangos ei freichiau'n falch. Mae'n dweud fod ganddo sylfaen dda i'r lliw haul. Dw i wedi sylwi ei fod o'n edrych yn y drych bob tro y mae'n mynd heibio i un. Mae'n amlwg yn fodlon ar y ffordd mae'n edrych, ond dw i'n meddwl bod golwg ychydig bach yn goch arno.

Mae'n dweud ei fod o am fynd lawr i Ffactor 9 fory.

Awst 16
Mae Wncwl Nigel wedi llosgi.

Dydy o ddim wedi cyfaddef, ond mae'n hollol amlwg. Fe gawson ni ginio mewn caffi ar y traeth, a gallwn i weld fod ei groen yn berwi'n goch o amgylch ei wddf ac ar rannau o'i goesau. Roedd o'n amlwg mewn poen wrth eistedd, felly mae'n rhaid bod ei gefn o'n wael hefyd. Dwedodd Sara ei bod hi am fynd i Bridgetown i brynu hylif *calamine* iddo fo, ond dwedodd o'i fod o'n hollol iawn, a bod dim angen yr hylif arno o gwbwl.

Ond fe wnaeth o ddweud ei fod o am symud yn ôl i Ffactor 15.

Mae'r busnes lliw haul yma'n beth od iawn. Dw i ddim yn siŵr beth mae Wncwl Nigel yn ceisio'i brofi. Dwedodd Sara (pan oedd o yn y tŷ bach) mai fel hyn y mae o bob blwyddyn. Pryd bynnag y mae'n mynd ar ei wyliau, mae'n pentyrru'r olew arno'i hun, a gorwedd yn yr haul, ond byth yn cael lliw da. Mae'n rhaid bod ei oedran yn rhywbeth i'w wneud gyda'r peth. Mae llawer o rieni'r un peth. Unwaith maen nhw'n cyrraedd eu pedwar degau, maen nhw'n mynd i'r gampfa deirgwaith yr wythnos, i wthio a phedlo a phoenydio'u hunain, gan geisio cael siâp ar eu cyrff meddal unwaith eto. Does dim gobaith i gyhyrau Wncwl Nigel erbyn hyn. Ond o leiaf gallai o gael 'chydig bach o liw. Mae o eisiau mynd 'nôl i'r ysgol yn edrych yn frown ac yn iach. Efallai, am un tymor, fydd o ddim yn cael ei alw'n 'Pen Porej'.

Ches i ddim caniatâd i fenthyg beic dŵr, er mai fy mhres i ydy o. Roedd Mam a Dad wedi rhoi can punt i fi i'w wario. Felly es i a Cassian am dro, a chware pêl droed efo rhai o'r plant lleol. Cyn mynd, fe welais i Nigel yn ei le arferol. Roedd o'n darllen *A Tale of Two Cities* gan Charles Dickens, ond roedd yr olew a'r chwys yn diferu o'i fysedd ac yn disgyn ar y tudalennau. Roedd yr haul yn ei lygaid ac roedd yn rhaid iddo gau'i lygaid bron i'r pen er mwyn darllen y geiriau. Ond mae'n gwrthod gwisgo sbectol dywyll. Mae'r rheiny'n amharu ar ei liw haul.

Cyrraedd 'nôl yn y gwesty am chwech o'r gloch. Roedd Wncwl Nigel yn cael cawod wrth y pwll.

Gallwn i weld ei fod o wedi syrthio i gysgu yn yr haul. Roedd o'n goch iawn. Ar yr un pryd, mae'n rhaid ei fod o wedi gadael nofel Dickens yn pwyso yn ei erbyn o wrth fynd i gysgu, achos roedd yna siâp petryal mawr ar ei stumog o – yr un maint â lyfr – a oedd mor wyn ag erioed. Roedd y gwely haul hefyd wedi gwneud patrwm gwiail ar ei gefn.

Codais fy llaw arno, a gofyn sut oedd o. Atebodd fod ganddo gur yn ei ben. Roedd ganddo hefyd bothell ar un foch.

Awst 17
Aeth rhieni Cassian â fi allan am y dydd. Aethom ni mewn jîp agored drwy ganol yr ynys. Llawer o blanhigion siwgr a hen dai a wnâi i chi feddwl am fôr-ladron a chaethweision. Aethon ni i mewn i ogof. Roedd yn rhaid i ni wisgo hetiau plastig i warchod ein pennau ni, ac aethon ni ar dram i grombil y ddaear, trwy ogofeydd anhygoel gyda rhaeadrau o garreg, stalagmidau a stalactidau, alla' i fyth gofio p'un yw p'un. Llenor yw tad Cassian. Mae ei fam yn rhyw fath o gynhyrchydd teledu. Doedd y ddau ohonyn nhw ddim yn

ffraeo, a oedd yn chwa o awyr iach. Do'n i ddim
yn edrych ymlaen at fynd yn ôl i'r gwesty, wrth
feddwl am N & S. Ac fel o'n i wedi'i ddisgwyl,
roedd o'n dal ar ei wely haul a Sara'n eistedd wrth
ei ymyl yn ei atgoffa i droi drosodd bob hanner
awr, fel iâr yn rhostio uwchben tân. Dwedodd hi
wrtha' i ei fod o wedi penderfynu y byddai Ffactor
9 yn iawn eto, ond fydden i ddim wedi cytuno.
Roedd ei ysgwyddau wedi llosgi'n ddrwg ac
roedd dwy bothell arall ar ei drwyn.

Fe rwbiodd hi fwy o olew arno. Synnais pa mor
ofnadwy oedd yr arogl. Mae'n felyn ac yn llifo'n
dew o'r botel, yn llenwi rhwng ei bysedd wrth iddi
hi ei rwbio i mewn i'w groen. Afiach. Dw i wedi
cael ychydig o liw haul fy hun ond dw i'n cymryd
gofal. Dw i'n gwisgo crys-t gyda llewys llydan a
chap pel-fas Bart Simpson. Mae gen i fy eli haul fy
hun hefyd. Tasech chi'n gofyn i fi, mae Wncwl
Nigel yn hollol wallgof. Dydy o ddim wedi clywed
am gancr y croen?

Awst 19
Mae ganddo liw haul! Dydy o ddim yn hollol yn lliw
brown 'Mr Bydysawd', ond mae'n bendant yn

frown o'i gorun i'w sawdl. Mae un neu ddau ddarn lle mae'r croen yn dal ychydig yn goch, o dan ei freichiau a chorun ei ben, ond mae'n dweud y bydd y cwbwl yn datblygu'n un lliw cyn bo hir. Roedd o mewn hwyliau da'r prynhawn 'ma a hyd yn oed wedi dweud y byddwn i, efallai, yn cael mynd ar feic dŵr wedi'r cwbl.

Daeth i'r glaw am y tro cyntaf y prynhawn 'ma. Mae'r glaw ar yr ynys hon yn rhyfedd. Un eiliad mae'n haul tanbaid, a'r eiliad nesaf, mae'n pistyllio glaw, ac mae'n rhaid i bawb fynd dan do. Dydy o ddim fel glaw adre. Mae'r dŵr yn feddalach. Mae fel sefyll mewn cawod gynnes. Ac mae'r gawod wedi peidio mor gyflym ag y dechreuodd hi, yn union fel tasai rhywun wedi diffodd swits.

Aeth Sara â fi am dro ar y bws i Bridgetown, gan adael Nigel ar y traeth (Ffactor 4). Fe gerddon ni o amgylch y porthladd, a oedd yn gymysgfa o gychod hwylio a llongau pleser enfawr. Meddyliodd hi am logi cwch am y dydd ond pan welodd hi'r prisiau, anghofiodd am hynny'n ddigon buan. Fyddai Nigel fyth yn cytuno i dalu, meddai hi, ac ar yr un pryd, rhoddodd ryw fath o ochenaid. Felly gofynnais iddi rywbeth oedd wedi bod ar fy meddwl i erioed.

'Pam briodoch chi Wncwl Nigel?' gofynnais. 'O', atebodd. 'Roedd o'n wahanol iawn pan oedd o'n ifanc. A finnau hefyd. Roeddwn i'n meddwl y bydden ni'n hapus gyda'n gilydd.'

Aethom ni i far yn y porthladd. Prynodd Sara hufen iâ i mi. Iddi hi ei hun archebodd ddiod rỳm fawr er nad oedd hi ond hanner awr wedi tri'r prynhawn. Roedd yn rhaid i mi addo peidio â dweud wrth Wncwl Nigel.

Awst 21
Newyddion drwg. Mae Wncwl Nigel wedi pilio'n llwyr. Rŵan mae o 'nôl yn y lle dechreuodd o.

Awst 22
Treuliodd Wncwl Nigel y diwrnod cyfan (wyth awr) ar y traeth, ond mae'n ymddangos fod ei groen newydd yn gwrthod brownio. Mae wedi symud lawr i eli haul Ffactor 2.

Cafodd o a Sara ffrae ddiflas ddoe . . . y diwrnod y collodd ei liw. Mae'n ymddangos, pan ddeffron nhw, fod y dillad gwely yn llawn o ddarnau brown. Ar y dechrau, meddyliodd Sara fod llwydni neu rywbeth wedi disgyn o'r nenfwd. Ond croen marw oedd o. Dwedodd hi ei fod o'n gwneud iddi deimlo'n sâl, a dyma Nigel yn colli 'i limpyn yn lân. Gallech chi glywed eu lleisiau o ben draw'r coridor.

Gwelais Nigel yn tynnu 'i ddillad ar y traeth. Roedd yna ddarn pinc llachar yn ymestyn o'i wddf i'w stumog, yn union fel tasai rhywun wedi ceisio'i ddadlapio'n frysiog. Dyma lle'r oedd o wedi colli'r hen groen. Ond roedd croen newydd wedi dechrau tyfu'n ei le'n barod. Roedd hi'n amlwg ei fod o'n mynd i golli gweddill ei groen brown hefyd. Roedd yn barod yn edrych fel mwd, ac yn afiach. Allai o ddim symud heb i ddarnau o'i groen ddisgyn i ffwrdd. Roedd yn gwneud popeth o fewn ei allu i adfer y sefyllfa. Sylwais ei fod wedi dod â photel fawr o eli haul ac roedd o'n rhwbio hwnnw i mewn yn union fel pe byddai'n gallu'i ludo'i hun yn ôl at ei gilydd rywsut. Doeddwn i ddim yn meddwl y byddai'n llwyddo.

Es i am dro eto gyda Cassian a hefyd gyda'i frawd mawr, Nick. Dywedais i wrthyn nhw am Wncwl Nigel ac roedd y ddau'n meddwl ei fod yn ddoniol iawn. Roedd Nick yn dweud nad oedd pobl yn oes Fictoria eisiau cael lliw haul. Roedd lliw haul ar gyfer y bobl isaf mewn cymdeithas. Roedd hwn yn rhywbeth a ddysgodd yn yr ysgol.

Pan gyrhaeddais i 'nôl i'r gwesty, roedd Wncwl Nigel yn dal i orwedd yno gydag Anti Sara ychydig lathenni i ffwrdd, yn eistedd gyda'i Stephen King o dan ymbarél. Rhaid bod y llyfr yn ddoniol achos roedd yna wên yn bendant ar ei hwyneb.

Ond i Wncwl Nigel mae'r sefyllfa yn mynd o ddrwg i waeth. Dydy'i groen newydd o ddim yn brownio. Ond mae'n llosgi. Mae eisoes wedi troi'n lliw sgarlad llachar. Yn wahanol i fi, dydy o ddim wedi bod yn gwisgo het, ac mae yna bothell wedi ffurfio ar ganol ei ben. Mae fel un o'r swigod gwyn 'na welwch chi mewn cartŵn pan mae Jerry'n bwrw Tom gyda morthwyl. Mae'r holl westeion eraill wedi dechrau'i osgoi o. Mae hynny'n amlwg pan maen nhw'n cerdded lawr i'r môr. Maen nhw'n gwneud cylch er mwyn ei osgoi.

Dw i'n sylwi, gyda llaw, ei fod o'n dal i ddarllen *A Tale of Two Cities*. Ond rydyn ni wedi bod yma am bron i bythefnos erbyn hyn, ac mae'n dal 'mond wedi cyrraedd tudalen 12.

Awst 25

Aeth Cassian a Nick adre heddiw, ac mae'r gwesty'n teimlo'n wag hebddyn nhw. Cyrhaedd-odd teulu arall . . . tair merch! I ddweud y gwir, dw i'n dechrau edrych mlaen at fynd adre. Dim newydd gan Mam. Dydy'r babi'n dal ddim wedi dod. Dw i'n hiraethu amdani. A dw i'n dechrau poeni'n fawr am Wncwl Nigel.

Mae'i hen groen o wedi mynd i gyd erbyn hyn. Mae o un ai wedi disgyn i ffwrdd, neu mae'r croen newydd wedi dod yn ei le. Croen sy'n borffor poeth. Croen sydd â'i feddwl ei hun. Mae yna bothelli fel llosgfynyddoedd bychain ar hyd ei gorff. Maen nhw'n byrstio dan yr haul poeth . . . wir yr. Maen nhw'n byrstio, ac mae crawn melyn yn llifo allan ohonyn nhw. Gallwch chi'i weld o'n glir. Bob deng munud, mae pothell arall yn ymddangos ar ei groen. Mae yna farciau ar ei wyneb hefyd. Maen nhw'n rhedeg lawr ochr ei fochau ac at ei wddf. Pe byddai gên ganddo, dw i'n siŵr y byddai hwnnw'n llawn marciau hefyd.

Ac mae o'n dal yn trïo cael lliw haul! Y prynhawn 'ma fe ges i ddigon. Dw i ddim yn aml yn siarad efo Wncwl Nigel. Am ryw reswm, dw i'n meddwl mod i'n mynd ar ei nerfau o hyd. Ond fe drïais i ddweud wrtho'i fod o'n edrych, wel . . . yn ddifrifol, a 'mod i wir yn poeni amdano fo. Ddylwn i ddim fod wedi dweud. Bu bron iddo fo frathu 'mhen i ffwrdd, gan ddefnyddio iaith na fyddech chi'n ei disgwyl gan brifathro. Felly wedyn fe drïes i ddweud wrth Anti Sara beth oedd ar fy meddwl i.

FI: Anti Sara, chi ddim am wneud rhywbeth?
SARA: Be' ti'n feddwl?
FI: Wncwl Nigel! Mae'n edrych yn ofnadwy . . .
SARA: (ochenaid) Beth alla i wneud, Tim? Mae
          arna i ofn nad ydy dy ewyrth erioed wedi
          gwrando arna i. Ddim erioed. Ac mae
          wedi bod yn benderfynol o gael ei liw
          haul.
FI: Ond mae'n ei ladd ei hun.
SARA: Ti'n gor-ddweud pethau rŵan, cariad.
          Bydd o'n iawn.

Ond dydy o ddim yn iawn. Dw i erioed wedi teimlo gymaint o embaras ag y gwnes i amser swper heno.

Aethon ni i fwyta mewn lle drud. Roedd o i fod mor hyfryd. Roedd y byrddau tu allan, ac wedi'u gwasgaru dros ddau deras. Roedd llusernau papur yn hongian droson ni, a'r tonnau arian bron â chyrraedd at ein traed ni. Roedd Nigel yn cerdded yn chwithig, fel robot. Roedd hi'n amlwg fod ei ddillad yn rhwbio yn erbyn ei groen clwyfus, ac mae'n rhaid eu bod nhw'n teimlo fel papur tywod.

Doedd dim llawer o synnwyr i'w gael ganddo dros y bwrdd bwyd. Aeth ymlaen ac ymlaen am fachgen o'r enw Charlie Meyer. Roedd hi'n amlwg fod Charlie'n ddisgybl yn ei ysgol o, ac roedd yr un mor amlwg nad oedd o'n llawer o ffefryn gan Wncwl Nigel. Roedd o'n rhegi tipyn, ac roedd rhai o'r cwsmeriaid eraill yn edrych draw ato. Daeth un o'r gweinyddwyr draw i weld beth oedd yn bod, ac yn sydyn roedd Wncwl Nigel yn taflu fyny'n wyllt! Drosto'i hun i gyd!

Gadawon ni ar unwaith. Griddfanodd Wncwl Nigel wrth i ni'i wthio i mewn i dacsi. Gallwn i deimlo'r croen o dan ei grys. Roedd o'n llaith ac yn llithrig. Ddwedodd Anti Sara ddim byd nes i ni gyrraedd 'nôl i'r gwesty. Wedyn . . . 'Gelli di archebu bwyd yn dy stafell, Tim. Ac wedyn rhaid i ti fynd i'r gwely.'

'Beth am Wncwl Nigel?'

'Edrycha i ar ei ôl o!'

Awst 27

Dydy Wncwl Nigel ddim yn gallu siarad erbyn hyn. Hyd yn oed pe byddai'n gallu llunio brawddeg y byddai unrhyw un yn ei deall, fyddai o ddim yn gallu'i dweud hi achos bod ei wefusau wedi llosgi gymaint nes eu bod wedi crebachu a mynd yn ddu i gyd. Mae gweddill ei wallt wedi disgyn allan, ac mae'i groen newydd wedi dechrau rhwygo nes eich bod yn gallu gweld rhannau o'i benglog. Dw i'n meddwl hefyd ei fod o wedi mynd yn ddall yn un llygad. Mae Mr Jenson, rheolwr y gwesty, wedi gwahardd Wncwl Nigel o'r traeth gan fod rhai o'r gwesteion eraill wedi dechrau cwyno. Cafodd Mr Jenson gyfarfod efo fi ac Anti Sara. Ei farn o oedd na ddylai Wncwl Nigel dorheulo o hyn ymlaen.

JENSON: Esgusodwch fi, Mrs Howard. Ond dw i'n meddwl bod hon yn sefyllfa ddifrifol iawn.

SARA: Dw i wedi trïo'i stopio fo, Mr Jenson. Y
         bore 'ma, 'nes i hyd yn oed ei gloi o yn y
         stafell molchi. Ond fe lwyddodd o i fynd
         allan drwy'r ffenest, a dringo lawr y bibell
         ddŵr.
JENSON: Efallai y dylen ni alw meddyg.
SARA: Dw i'n siŵr nad oes angen i ni wneud
         hynny . . .

Roedd hi'n mynnu'i bod hi wedi trïo'i atal rhag
torheulo, ond dw i ddim mor siŵr. Roedd hi'n dal i
rwbio olew arno fo bob bore a nos. Fe welais i hi.
Ond ddwedais i ddim byd.

Dw i'n dechrau teimlo'n annifyr am hyn i gyd.

Awst 28
Neithiwr, fe redodd Wncwl Nigel i ffwrdd.

Cafodd o ffrae arall efo Anti Sara. Rwy'n siŵr
mod i wedi clywed sŵn gweiddi, a'r drws yn cau'n
glep. Roedd yr haul ar fachlud, a phan edrychais i
allan o'r ffenest, gwelais Wncwl Nigel yn rhuthro o'r
gwesty, a hercio am y traeth. Prin yr oedd o'n gallu
sefyll yn syth. Roedd o'n gwisgo trowsus byr a dim
byd arall, a phrin y gallech chi'i nabod o. Doedd

ganddo ddim croen o gwbl. Roedd ei lygaid o'n chwyddo allan o'i benglog, ac roedd ei wefusau o wedi crebachu gymaint, nes fod hyd yn oed cig ei ddannedd yn y golwg. Roedd yn cwyno bob cam o'r ffordd. Fe ddisgynnodd o 'nôl yn erbyn wal y gwesty. Gwelodd un o'r gwesteion hyn yn digwydd, a sgrechian.

Y bore 'ma roedd o wedi mynd ond roedd o wedi gadael ei ôl mewn gwaed ar y wal.

Awst 30

Mae rhywbeth yn dweud wrtha' i fod Anti Sara yn berson hollol wahanol. Does dim unrhyw newydd am Wncwl Nigel, a does neb wedi'i weld ers deu-ddydd. Ond dydy Anti Sara ddim yn poeni. Mae hi wedi bod yn yfed llawer o rỳm. Neithiwr, fe feddwodd hi gymaint nes iddi ddechrau dawnsio gydag un o weithwyr y gwesty.

Alla i ddim aros nes mynd adre. Siaradais i efo Mam bore 'ma. Mae'n debyg fod gen i chwaer fach newydd. Lucy fydd ei henw hi.

Gofynnodd Mam i fi am y gwyliau. Soniais am yr ynys a dywedais am y teulu ro'n i wedi'i gyfarfod, ond penderfynais beidio â dweud dim byd am Wncwl Nigel.

Awst 31

Mae Wncwl Nigel wedi marw!

Daeth pysgotwyr o hyd iddo fo ddoe ar y traeth. Ar yr olwg gynta' roedden nhw'n meddwl ei fod o wedi cael ei fwyta ac yna wedi cael ei boeri allan gan siarcod. Roedd ei gorff cyfan yn llawn pothelli byw, briwiau, a chnawd llawn gwenwyn. Doedd ganddo fo ddim llygaid. Roedd o wedi bod yn cysgu yn yr haul. Ond y tro yma ddeffrodd o ddim.

Y unig ffordd i'w nabod o oedd wrth ei drowsus bach Marks & Spencer.

Wnaeth Anti Sara ddim dangos unrhyw syndod pan ddwedon nhw wrthi. Y cyfan ddwedodd hi oedd, 'O!'

A meddyliais i 'mod i wedi'i gweld hi'n gwenu.

Medi 2

'Nôl adre, diolch byth.

Roedd Mam a Dad fod i 'nghyfarfod i yn y maes awyr. Ond fel mae'n digwydd roedd yna un sioc gas annisgwyl arall yn fy aros i pan lanion ni. Roedd fy chwaer newydd, Lucy, wedi dal rhyw fath o firws. Doedd o'n ddim byd mawr – y math o beth y bydd babanod bach yn eu cael – ond roedd yn rhaid iddi fynd yn ôl i'r ysbyty dros nos, ac roedd Mam a Dad efo hi. Roedd enw Sara'n cael ei alw ar yr uchelseinydd, ac fe garion ni'r cesys draw at y ddesg lle cawson ni'r newydd. Roedd yn rhaid i fi aros yn ei thŷ hi – dim ond am un noson. Roedd Dad a Mam am ddod draw i fy nôl yn y bore.

Felly, 'nôl â fi i dŷ Anti Sara, a'r teras o oes Fictoria. Rhaid dweud bod fy stumog i'n troi wrth gerdded mewn. Tŷ Sara oedd o rŵan, wrth gwrs. Ond tŷ Nigel oedd o unwaith, a gallwn i deimlo'i bresenoldeb o yno o hyd. Nid ei ysbryd o'n unig. Mewn ffordd, roedd o'n waeth na hynny. Y papur wal diflas a'r silffoedd llawn llyfrau trymion, tew. Y dodrefn hen ffasiwn, y llenni trwchus yn cuddio'r golau . . . ac arogl lleithder. Roedd fel petai ei ysbryd ym mhobman. Roedd o wedi marw. Ond tra roedden ni yn y tŷ, roedd y cof amdano'n fyw.

Mae'n rhaid bod Anti Sara wedi'i deimlo fo hefyd. Hyd yn oed cyn iddi ddadbacio ffoniodd asiant tai a dweud wrtho'i bod hi eisiau rhoi'r tŷ ar y farchnad yn syth. Dwedodd ei bod yn bwriadu ymfudo i Florida.

Cawson ni swper efo'n gilydd – têc-awê Tsien-aidd – ond doedd fawr o chwant bwyd ar yr un ohonon ni a siaradon ni fawr ddim. Roedd hi eisiau bod ar ei phen ei hun. Gallwn i ddweud. Mewn ffordd ryfedd, roedd hi bron ag ymddangos yn ddrwgdybus ohonof i. Sylwais i arni'n edrych arna' i unwaith neu ddwy, fel petai hi'n poeni am ryw-beth. Roedd fel petai'n aros i fi ei beio hi am farwolaeth Nigel. Ond nid ei bai hi oedd o, wnaeth hi ddim byd o'i le.

Neu wnaeth hi?

Es i'r gwely'n gynnar y noson honno. Yn y stafell sbâr. Ond allwn i ddim cysgu.

Roeddwn i'n meddwl am bopeth oedd wedi digwydd. Drosodd a throsodd eto aeth y darnau trwy fy meddwl hyd nes i lun ddechrau ffurfio. Troi drosodd a cheisio meddwl am rywbeth arall. Ond allwn i ddim. Oherwydd roedd yr hyn a welwn i rŵan, a'r hyn y dylwn i fod wedi ei weld ers y dechrau, i gyd mor ofnadwy o amlwg.

'Mae gen i gynlluniau . . .'

Dyna oedd geiriau Sara wrth Mam cyn i ni adael am y gwyliau. Doedd hi ddim eisiau i fi ddod o'r dechrau un. Roedd hi fel pe bai'n gwybod beth oedd am ddigwydd, a ddim eisiau i fi fod yno, fel tyst. Doedd hi ddim wedi gwneud i Wncwl Nigel orwedd yn yr haul, ond ar ôl meddwl am y peth, doedd hi ddim wedi'i atal o chwaith. A doedd ei farwolaeth ddim wedi ei phoeni hi o gwbl. Roedd hi wedi bod yn yfed rỳm a dawnsio gyda'r gweinyddwyr cyn darganfod y corff hyd yn oed.

Na! Roedd hyn yn hurt. Wedi'r cwbl, hi oedd wedi pacio'r holl boteli, y gwahanol hylifau haul. Roedd hi hyd yn oed wedi'u rhwbio nhw i mewn iddo. Wrth i fi orwedd yn y tywyllwch, fe gofiais am yr hylif melyn yn llifo'n araf o'r botel yn casglu rhwng ei bysedd wrth iddi dylino'i gefn. Unwaith eto, gallwn ei arogli – yn dew ac yn seimllyd – ac ar yr un pryd, fe gofiais rywbeth roedd Nigel wedi'i ddweud. Roedd wedi bod yn archwilio un o'r poteli ac fe ofynnodd:

'*Wyt ti wedi agor hwn?*'

Efallai mai dyna beth wnaeth i mi godi. Allwn i ddim cysgu beth bynnag felly fe godais a mynd lawr y grisiau. Dw i ddim yn gwybod pam i mi gerdded ar flaenau fy nhraed ond dyna wnes i. A dyna ble'r oedd Anti Sara, yn sefyll yn y gegin, yn hymian iddi hi'i hun.

Roedd poteli o'i hamgylch i gyd. Roeddwn i'n eu hadnabod nhw ar unwaith. Ffactor 15, Ffactor 9 a Ffactor 4. Yr olew gwrth-ddŵr, yr olew at groen sensitif, a phob olew arall. Yr olew Cyn Haul, a'r olew Wedi Haul. Roedd hi'n eu gwacáu nhw, un ar y tro, i dun mawr gwyrdd. Ac er bod y labeli'n wahanol, yr un olew melyn oedd yn dod allan o bob un ohonyn nhw. Ac mae'n siŵr gen i mai o'r tun hwn y daeth pob olew yn y lle cyntaf.

OLEW LLYSIAU COGINIO CYFLYM
– I FFRÏO'N FFYRNIG

Llythrennau cochion mawr ar ochr y tun. Roedd fy anti yn dal i wacáu'r poteli, yn cael gwared ar y dystiolaeth. Sleifiais yn ôl i'r gwely a chyfri'r oriau hyd nes i fy rhieni ddod o'r diwedd.

clust y
MWNCI

Dechreuodd y stori, fel llawer o straeon eraill, yn y *souk* – neu farchnad dan do – ym Marrakesh.

Mae rhai'n dweud fod cynifer o straeon yn y *souk* ag sydd yna o bethau ar werth, ac os ydych chi erioed wedi mynd ar goll yn un o'r dwsinau o lwybrau dan do, llwybrau sydd â'u dwy ochr yn llawn siopau a stondinau yn griddfan dan bwysau miloedd o bethau, o geriach a photeli sbeis i garpedi a ffa coffi, yna rydych chi'n gwybod fod hyn yn golygu fod yno fwy o straeon nag y gallech chi eu hadrodd mewn cant ac un o nosweithiau. Neu hyd yn oed mewn cant ac un o flynyddoedd.

Roedd teulu'r Beckers wedi dod i Forocco ar wyliau, a darganfod eu hunain yn *souk* Marrakesh, dim ond achos eu bod nhw wedi gweld fod taith am ddim i fynd yno. Roedd pob gwesty'n cynnig taith am ddim. Wrth gwrs, y syniad oedd cael yr ymwelwyr i wario'u harian ar ôl iddyn nhw gyrraedd y farchnad. Ond doedd hynny ddim yn mynd i weithio'r tro hwn. Ddim gyda'r Beckers.

'Mae'n rhy boeth 'ma,' cwynodd Brenda Becker. 'A'r holl bryfed 'ma! Ddylen ni ddim fod wedi dod! Ro'n i wedi dweud nad o'n i eisiau dod. A beth bynnag, does dim byd gwerth ei brynu 'ma. Yr holl sothach tramor 'ma . . .' Ceisiodd daro pry' a oedd yn hedfan o amgylch ei hwyneb tew, coch. 'Pam na allwn ni ddod o hyd i gangen o Marks & Spencer?' ychwanegodd gan gwyno.

Ysgyrnygodd Brian Becker, ei gŵr, ei ddannedd, a'i dilyn hi. Ymddangosai iddo ei fod o wastad un cam y tu ôl iddi, fel y Tywysog Philip a'r hen Frenhines 'na. Roedd yn wir ei bod hi'n rheoli dros bopeth yr oedd ei gŵr yn ei wneud. Dyna pam yr oedd o'n mwynhau'i waith gymaint. Warden traffig oedd o. Yn gyntaf, roedd hynny'n esgus iddo ddianc rhag ei wraig. Ond hefyd roedd yn golygu, o leiaf pan fyddai allan ar y ffordd, mai fo oedd yn rheoli.

Daeth gwerthwr yn gwisgo jîns a hen grys-t anniben ato, yn dangos rhes o fwclis. Chwifiodd Brian ei law'n flinedig. 'Dos o 'ma!' gwaeddodd. 'Cer i grafu, Sinbad!' Arhosodd, gan sychu'r chwys oddi ar ei dalcen, y chwys a oedd yn diferu o'r lle'r oedd ei wallt wedi bod, unwaith. Llipryn bach oedd Brian Becker, gyda wyneb tenau a chroen a oedd yn ymylu ar fod yn lliw oren. Roedd wedi colli'i wallt cyn iddo gyrraedd ei ugain oed, a hyd yn oed rŵan roedd yn teimlo embaras oherwydd ei ben, a oedd mor foel ag wy. Dyna un peth da arall am fod yn warden traffig. Roedd yn hoffi'r wisg. Teimlai'n smart ynddi, yn arbennig y cap a oedd yn cuddio'i foelni. Gwisgai'r cap yn aml adref, yn y gwely a hyd yn oed yn y bath. Ond y funud hon edrychai'n hollol hurt, mewn trowsus byr a oedd lawer yn rhy lydan i'w goesau main (Brenda oedd wedi eu dewis iddo cyn iddyn nhw adael).

Cerddai bachgen deuddeg oed wrth ymyl Brian. Dyma Bart Becker, eu hunig blentyn. Roedd Bart wedi bod yn lwcus nad oedd wedi etifeddu golwg ei dad na phwysau trwm ei fam. Roedd ei gorff yn denau, ei wyneb yn welw a'i wallt golau'n codi dros ei dalcen fel Tintin, ei hoff gymeriad cartŵn. Fo oedd yr unig un o'r tri a oedd yn mwynhau'i amser yn y *souk*. Y gymanfa o liwiau, yr arogleuon cyfoethog a gwaedd y stondinwyr, y cyfan wedi eu gwau yn un i gyfeiliant galwad pell y pibau a'r drymiau. Roedd popeth mor gynhyrfus ac yn llawn dirgelwch iddo fo. Efallai mai'r prif wahaniaeth rhwng Bart a'i rieni oedd ei fod wedi mwynhau darllen llyfrau o oedran cynnar iawn. Roedd wrth ei fodd â straeon, ac iddo fo, roedd bywyd yn un antur fawr. I'w rieni, rhywbeth i fynd trwyddo oedd bywyd.

'Ni ar goll!' ebychodd Brenda. 'Dy fai di ydy hyn, Brian. Dw i isho mynd 'nôl i'r gwesty.'

'Olreit, olreit!' Llyfodd Brian ei wefusau ac edrych o'i amgylch. Y trwbwl oedd bod pob llwybr yn y *souk* yn edrych yr un peth, ac roedd wedi colli pob synnwyr cyfeiriad ers amser. 'Y ffordd yna,' dywedodd gan bwyntio'i fys.

'Ni newydd ddod o fanna!'

'Wir?'

'Ti'n hollol wirion, Brian. Roedd Mam wastad yn dweud, a dylwn i fod wedi gwrando arni. Ni ar goll a fyddwn ni byth yn gallu dod allan o'r hen le erchyll 'ma.'

'Olreit, olreit!' Ailadroddai Brian yr un geiriau dro ar ôl tro. 'Ofynna' i i rywun.'

Roedd yna stondin ar un ochr yn gwerthu cyllyll hynafol a hen ddarnau o emwaith. Fel yr oedd

Brenda wedi dweud ganwaith, roedd popeth yn y *souk* yn ffug, mae'n siŵr. Doedd dim byd yno yn hŷn na'i chlun artiffisial hi. Ond roedd y stondin hwn yn wahanol. Roedd y cyllyll yn edrych ychydig yn fwy bygythiol, a'r gemau'n gwenu gymaint â hynny'n ddisgleiriach. Ac roedd 'na rywbeth arall. Roedd yr adeilad ei hun yn dywyll ac yn gam, ac yn ymddangos yn hŷn na gweddill y *souk*. Yn union fel mai ef gafodd ei adeiladu gyntaf, a gweddill y *souk* wedi tyfu o'i amgylch.

I mewn â nhw. Wrth iddyn nhw fynd trwy'r drws, distawodd holl sŵn y *souk* y tu allan. Roedden nhw'n sefyll ar garped trwchus mewn stafell a oedd yn debyg i ogof, gydag arogl melys te mintys yn drwm yn yr aer.

'Does neb yma!' sibrydodd Brenda.

'Drychwch ar hwn. Mae'n wych!' Roedd Bart wedi darganfod cleddyf hir. Roedd y carn yn llawn cerrig gwyrddion, a'r llafn wedi'i staenio â rhywbeth a edrychai fel gwaed sych.

'Paid â chyffwrdd, Bart!' gwaeddodd Brenda. 'Mae'n fudr.'

'A bydd raid i ni dalu amdano os torri di fo,' ychwanegodd Brian.

Crynodd llenni a oedd yn hongian dros ddrws, ac ymddangosodd bachgen ifanc. Mae'n siŵr ei fod tua'r un oed â Bart ond ei fod yn fyrrach, â chroen tywyll a wyneb crwn, ychydig yn ferchetaidd. Byddai'n fachgen golygus, oni bai fod yna lefrithen ar un llygad, yn gwneud iddi droi. Gwnâi hyn iddo edrych bron yn sinistr.

'Bore da! Chi isho prynu?' Roedd ei acen yn ddiarth a rhyw ganu yn ei lais. Mae'n rhaid ei fod wedi dysgu siarad yr iaith fel poli parot gan ei rieni.

'Ni ddim yma i brynu, diolch yn fawr,' meddai Brenda.

'Ni'n chwilio am y ffordd allan.' Cyfeiriodd Brian ei fawd tua'r drws. 'Mynd i'r gwesty. Tacsi!'

'Gemwaith gwych yma,' atebodd y bachgen. 'Cadwen hardd i menyw. Neu chi'n cael carped?'

'Ni ddim isho gemwaith na charpedi,' atebodd Brian yn flin. 'Y cyfan ni isho'i wneud ydy mynd adra!'

'Gwastraff amser llwyr!' mwmialodd Brenda.

'Fi'n gwerthu rhywbeth gwych i chi!' Edrychodd y bachgen o'i amgylch a tharo'i lygad ar wrthrych brown crebachlyd oedd yn gorwedd gerllaw. Roedd siâp hanner cylch arno, ac roedd wedi'i lapio mewn papur sidan yn llawn llwydni.

'Chi prynu hwn!' Gafaelodd ynddo a'i roi ar y cownter.

'Ni ddim isho'i brynu o,' dywedodd Brian.

'Mae'n erchyll,' cytunodd Brenda.

'Be ydy o?' gofynnodd Bart.

Syllodd y bachgen. 'Ewyrth bia fo,' dywedodd. 'Clust y mwnci. Hen iawn. Pwerus iawn. Llawn cyfrinach.'

'Be mae'n ei wneud?' gofynnodd Bart.

'Paid â'i annog o Bart,' dywedodd ei fam.

Ond roedd hi'n rhy hwyr. Anwybyddodd y bachgen hi. 'Mae clust mwnci'n rhoi pedwar dymuniad,' dywedodd. Cyfrodd bedwar ar ei fysedd gan ganolbwyntio'n llwyr. 'Un, dau, tri, pedwar. Chi'n dweud beth chi isho wrth clust, a clust yn rhoi. Prin iawn. Ond rhad iawn. Fi'n rhoi pris da.'

'Ond 'dan ni ddim isho fo,' mynnodd Brenda.

Estynnodd Bart ei law, a gafael yn y glust. Roedd yn gorwedd yng nghledr ei law. Roedd fel petai wedi'i gwneud o ledr, ond bod ychydig o flew ar y cefn. Roedd tu fewn y glust yn ddu, a theimlai fel plastig. Roedd Bart y gobeithio mai plastig oedd hi. Doedd o ddim wir eisiau dychmygu'i fod o'n gafael mewn clust go iawn, wedi'i thorri o ben mwnci go iawn.

'Pedwar dymuniad,' dywedodd y bachgen eto. 'Un, dau, tri, pedwar.'

'Well i ni fynd,' dywedodd Brenda.

'Na. Dw i isho fo!' Edrychodd Bart ar ei rieni. 'Ddywedoch chi y gallen i gael unrhyw beth o'r *souk*. A dw i isho hwn!'

'Ond pam?' Diferodd dafn o chwys oddi ar ên Brian, a sychodd ef gyda'i lawes. 'Pam wyt ti isho fo?'

'Dim rheswm. Mae o'n cŵl.'

'Brian . . .' Roedd tôn llais Brenda'n gyfarwydd. Dyma oedd yr arwydd ei bod hi'n mynd i ffrwydro.

'Faint mae o'n gostio?' gofynnodd Brian.

'Mil *dirhem*,' atebodd y bachgen.

'Mil *dirhem*? Mae hwnna'n . . .' Roedd Brian yn ceisio cyfri yn ei ben.

'Mae hwnna'n ormod.' Gorffennodd Brenda'r frawddeg. 'Mae'n fwy na hanner canpunt.'

'Beth am bum cant *dirhem*?' gofynnodd Bart.

'Saith gant,' atebodd y bachgen.

'Tyrd, Bart.' Gafaelodd Brian ym mraich ei fab. 'Ddaethon ni ddim mewn i brynu dim byd. Dim ond isho gwybod y ffordd allan oedden ni!'

'Chwe chant!' Roedd Bart yn benderfynol. Doedd o ddim yn hollol siŵr pam ei fod o eisiau clust y mwnci, ond gan ei fod wedi rhoi'i fryd arni, roedd o am fynnu cael ei ffordd.

'Iawn. Chwe chant.' Lapiodd y bachgen y glust yn gyflym, a'i hestyn draw.

Gwgodd Brian, yna cyfri'r arian. 'Mae hynny'n dal yn ugain punt,' cwynodd. 'Mae i'w weld yn ormod i dalu am hen sothach . . .'

'Nethoch chi addo,' dwedodd Bart. Roedd *o* wedi cyfri fod y pris yn nes at dri deg punt, ond doedd o ddim yn mynd i ddweud.

O fewn munudau iddyn nhw adael y siop, roedden nhw wedi diflannu unwaith eto i brysurdeb y *souk*. 'Nôl yn y siop, symudodd y llenni am yr eildro, a daeth dyn tew, anferth i mewn, wedi'i wisgo mewn gwisg wen draddodiadol a gyrhaeddai at ei sandalau. Wedi picio allan i brynu Turkish Delight roedd y dyn. Roedd wrthi'n llyfu'r gweddillion oddi ar ei wefusau wrth iddo eistedd i lawr. Edrychodd ar y bachgen a oedd yn dal i gyfri'r arian. Gwgodd y dyn, a dechreuodd y ddau ohonyn nhw siarad yn eu hiaith eu hunain, a hyd yn oed pe byddai'r Beckers wedi bod yno, fydden nhw ddim yn deall gair oedd yn cael ei ddweud.

'Fe ddaeth twristiaid i mewn, Wncwl. Hen dwrist-iaid tramor dwl. Fe ges i chwe chant dirhem gan-ddyn nhw.'

'Beth werthest ti iddyn nhw?'

'Clust y mwnci.'

Lledodd llygaid y dyn. Safodd ar ei draed yn gyflym, a mynd at y silff. Dim ond un edrychiad, ac roedd o'n gwybod. 'Werthest ti glust y mwnci!' ebychodd. 'Ble maen nhw? I ble aethon nhw?' Gafaelodd yn y bachgen a'i dynnu'n agosach. 'Dwed wrtha i.'

'Maen nhw wedi mynd! O'n i'n meddwl y byddech chi'n falch, Wncwl! Ddwedoch chi fod clust y mwnci'n ddiwerth.' Ddwedoch chi . . .'

'Ddwedes i na allen i'i gwerthu hi. Fentren i ddim! Roedd y mwnci hwnnw'n sâl. Does gen ti ddim syniad pa mor beryglus ydy hyn! Mae'n rhaid i ti ddod o hyd i'r twristiaid 'na rŵan, y penbwl gwirion. Mae'n rhaid iddyn nhw gael eu harian yn ôl. Mae'n rhaid i ti gael y glust 'na nôl . . .'

'Ond ddwedoch chi . . .!'

'Ffindia nhw! Dos rŵan! Yn enw Allah, gad i ni weddïo nad ydy hi'n rhy hwyr.' Gwthiodd y dyn y bachgen allan o'r siop. 'Chwilia 'mhobman.'

Rhedodd y bachgen allan i'r *souk*. Eisteddodd y dyn yn ôl yn swrth yn ei sedd, gan ddal ei ben yn ei ddwylo mewn anobaith.

Roedd hi'n rhy hwyr yn barod. Roedd y Beckers wedi llwyddo i ddod o hyd i'w ffordd allan, ac roedden nhw ar eu ffordd yn ôl i'r gwesty mewn tacsi. Mewn dau ddiwrnod roedden nhw'n gadael Marrakesh. Aeth clust y mwnci gyda nhw.

Roedd y Beckers yn byw mewn tŷ modern mewn ardal brysur y tu allan i ddinas fawr. Roedden nhw wedi bod adref am wythnos, pan darodd Brenda ar glust y mwnci. Roedd hi'n glanhau ystafell wely Bart. Roedd gan Brenda ffordd ryfedd o lanhau. Rywsut, roedd o'n golygu chwilio ymhob drôr a chwpwrdd, darllen dyddiadur a llythyrau Bart a busnesu'n gyffredinol. Mae rhai mamau o hyd yn meddwl y gwaethaf o'u plant. Roedd hi'n siŵr fod Bart yn cadw rhyw gyfrinach oddi wrthi. Efallai'i fod o wedi dechrau smygu. Neu efallai'i fod o'n hoyw. Beth bynnag roedd o'n ei guddio, roedd hi'n benderfynol o fod y cyntaf i'w ddarganfod.

Ond, fel pob tro arall, ddaeth hi ddim o hyd i unrhyw beth. Gwelodd hi glust y mwnci o dan bentwr o gomics Tintin, a daeth â hi lawr y grisiau i brofi pwynt.

Roedd Bart newydd gyrraedd 'nôl o'r ysgol. Roedd Brian hefyd wedi dod 'nôl o'i waith. Roedd wedi bod yn ddiwrnod siomedig. Er ei fod o wedi bod ar y stryd am naw awr, dim ond tri chant a saith tocyn parcio oedd o wedi'u rhoi, tipyn yn brin o'i record. Roedd o'n eistedd yn y gegin, yn dal yn ei wisg ac yn gwisgo'i hoff gap gwaith. Roedd o'n bwyta brechdan *fish fingers*, ac roedd Bart hefyd wrth y bwrdd yn gwneud ei waith cartref.

'Mae'r hen beth ofnadwy 'ma'n dal gen ti, 'te?' ebychodd Brenda.

'Mam . . .' dechreuodd Bart. Roedd o'n gwybod bod ei fam wedi bod yn edrych trwy'i bethau eto.

'Yr holl arian 'na warion ni arno fo, a ti'n ei stwffio fo mewn i hen ddrôr,' dwedodd yn flin. 'Gwastraff llwyr. Ddylen ni fyth fod wedi'i brynu o.'

''Di hynny ddim yn wir,' dywedodd Bart. 'Es i a fo i'r ysgol, a'i ddangos o i bawb. Roedden nhw'n meddwl fod rhywbeth rhyfedd amdano fo.'

'Wyt ti wedi gwneud unrhyw ddymuniadau?' chwarddodd Brian. 'Gallet ti ddymuno mai ti ydy'r gorau yn y dosbarth. Byddai hynny'n newid.'

'Na.' Roedd Bart bron wedi anghofio beth ddywedodd y bachgen â'r llefrithen ar ei lygad. Ond y gwir oedd y byddai gormod o embaras arno i ddefnyddio clust y mwnci i wneud dymuniad. Byddai hynny fel dweud ei fod o'n credu yn y tylwyth teg neu Siôn Corn. Roedd o eisiau'r glust achos ei bod hi'n hyll a rhyfedd, nid achos ei fod o'n meddwl y byddai'n gallu'i wneud o'n gyfoethog.

Mae'n rhaid bod ei dad yn gallu darllen ei feddwl. 'Nonsens ydy'r cyfan,' meddai. 'Clust mwnci i wneud dymuniadau! Hen rwtsh llwyr!'

'Nage ddim!' Doedd Bart ddim yn gallu peidio â ffraeo gyda'i dad. Roedden nhw wrthi trwy'r amser. 'Gawson ni stori yn yr ysgol heddiw. Roedd o union yr un fath . . . oni bai mai pawen mwnci, a dim clust mwnci oedd yn y stori. A doedd o ddim mor dda â chlust, achos dim ond tri dymuniad o'ch chi'n ei gael, nid pedwar.'

'Felly be ddigwyddodd yn y stori?' gofynnodd Brian.

'Ni heb glywed y cyfan eto.' Doedd hyn ddim yn hollol wir. Roedd yr athro Saesneg wedi gorffen

y stori, stori gan rywun o'r enw Edgar Allan Poe –
ond roedd hi wedi bod yn ddiwrnod poeth, ac
roedd Bart wedi bod yn synfyfyrio ac felly heb
glywed diwedd y stori. Cymrodd Brian y glust gan
ei wraig, a'i theimlo rhwng ei fysedd. Crychodd ei
drwyn. Roedd y glust yn feddal, yn flewog ac
yn gynnes. 'Byddai'n blincin gwych pe byddai'r
dymuniadau'n dod yn wir,' meddai.

'Am be fyddech chi'n dymuno, Dad?' gofynnodd
Bart.

Cododd Brian y clust fyny rhwng ei fys a'i fawd.
Cododd y llaw arall i ofyn am dawelwch. 'Dw i'n
dymuno am Rolls-Royce!'

'Wel, am ffasiwn nonsens,' dywedodd ei wraig.

Canodd cloch y drws.

Rhythodd Brian ar Brenda.

'Mi a' i,' dywedodd Bart.

Aeth at y drws a'i agor. Wrth gwrs nad oedd
Rolls-Royce yn mynd i fod yno. Doedd o ddim yn
disgwyl hynny o gwbl. Er hynny, roedd o ychydig
yn siomedig o weld ei fod o'n iawn, a bod y
stryd yn wag ar wahân i'r ffaith fod dyn bach
Siapaneaidd yn sefyll yno'n dal bag papur brown.

'Ia?' dywedodd Bart.

'Dyma 15 Gerddi Uchaf?'

'Ia.' Dyna oedd eu cyfeiriad nhw.

Daliodd y dyn bach Siapaneaidd y bag papur yn uchel. 'Dyma'r têc-awê 'nethoch chi 'i archebu.'

'Ond ni heb archebu dim byd.'

Ymddangosodd Brenda y tu ôl i Bart. 'Pwy sy 'na?' gofynnodd.

'Rhywun sy'n dweud y'n bod ni wedi archebu têc-awê,' atebodd Bart.

Edrychodd Brenda draw at y dyn mewn dirmyg. Doedd hi ddim yn hoffi bwyd tramor, a doedd hi chwaith ddim yn hoffi tramorwyr. 'Tŷ anghywir,' meddai. 'Ni ddim isho dim o hwnna fama.'

'15 Gerddi Uchaf,' mynnodd y dyn. '*Sushi* ar gyfer tri pherson.'

'*Sushi*?'

'Mae'r bil wedi cael ei dalu.' Rhoddodd y dyn y bag yn llaw Bart, a chyn ei fod yn gallu dweud dim byd, roedd y dyn wedi troi a cherdded i ffwrdd.

'Be ydy o,' gofynnodd ei dad.

'Têc-awê Siapaneaidd,' dywedodd Bart. '*Sushi* ydi o medda fo . . .'

Gwgodd Brian. 'Does 'na ddim lle bwyta Siapaneaidd yn agos i fama.'

'Roedd o'n dweud fod y bil wedi'i dalu,' meddai Brenda.

'Wel, waeth i ni'i fwyta fo ddim.'

Doedd dim un ohonyn nhw wedi bwyta *sushi* o'r blaen. Pan agoron nhw'r bag, roedd yno focs plastig yn cynnwys tri set o ffyn bwyta Siapaneaidd, a deuddeg rholyn taclus o reis wedi'u stwffio efo cig cranc a chiwcymber. Gafaelodd Brian yn un o'r darnau a'i fwyta. 'Afiach,' dywedodd.

'Neith yn iawn i'r gath,' ategodd Brenda.

Ochneidiodd Brian. 'Am eiliad, ro'n i'n meddwl fod clust y mwnci wedi gweithio. O'n i'm meddwl y byddai'r drws yn agor, a rhywun yno'n dweud 'mod i wedi ennill Rolls-Royce newydd sbon mewn cystadleuaeth neu rywbeth. Byddai hynny wedi bod yn wych.'

'Roedd Rolls-Royce yn ddymuniad hurt beth bynnag,' dywedodd Brenda. 'Allen ni fyth fforddio'i redeg o. A meddylia am yr yswiriant!'

'Am be fyddech chi'n ddymuno, Mam?' gofynnodd Bart.

'Dw i ddim yn gwybod . . .' Meddyliodd Brenda am funud. 'Mae'n siŵr y bydden i'n dymuno cael miliwn o bunnau. Dw i'n dymuno mod i'n ennill y loteri.'

'Iawn 'te!' Daliodd Brian glust y mwnci am yr eildro. 'Dw i'n dymuno cael pot o aur!'

Ond ddigwyddodd dim byd. Wnaeth cloch y drws ddim canu. Na'r ffôn. Chafodd Brian ddim hyd yn oed un rhif yn iawn yn y loteri y noson honno. Aeth i'r gwely mor dlawd a diflas ag erioed.

Er hynny, digwyddodd un peth rhyfedd iawn y diwrnod canlynol. Roedd Brian wrth ei waith yn cerdded y strydoedd, ac roedd newydd roi tocyn parcio i hen bensiynwr. Ar ei ffordd i'r orsaf lle'r oedd yn gwybod y byddai dwsinau o geir wedi'u parcio'n anghyfreithlon, gwelodd ddynes yn pwyso o dan fonet fan fach wen. Gwenodd Brian wrtho'i hun. Roedd y fan wedi aros ar linell felen. Estynnodd am ei beiriant tocynnau.

'Allwch chi ddim parcio fanna,' dywedodd yn ei ffordd arferol.

Safodd y ddynes yn syth a chau'r bonet. Roedd hi'n ifanc ac yn eithaf del – yn bendant yn ifancach a delach na Brenda. 'Mae'n ddrwg iawn gen i,' meddai. 'Mae'r fan wedi torri lawr. Dw i ar y ffordd i'r farchnad, a dw i wedi llwyddo i'w drwsio fo. Chi ddim yn mynd i roi tocyn i fi, ydych chi?'

'Wel . . .' Roedd Brian yn esgus meddwl am y peth, ond a dweud y gwir, doedd ganddo ddim rheswm i roi tocyn iddi, ddim os oedd hi ar fin symud. 'Iawn,' dywedodd, 'gewch chi fynd tro 'ma.'

'Chi'n garedig iawn.' Estynnodd y ddynes i mewn i'w fan, a nôl potyn bach tywyll o'r sêt flaen. 'Gadwch i fi roi hwn i chi,' dywedodd.' I ddiolch i chi.'

'Be ydy o?' doedd Brian ddim i fod i dderbyn unrhyw anrhegion, ond roedd o'n chwilfrydig.

'Mae gen i stondin yn y farchnad, yn gwerthu hen bethau,' eglurodd y ddynes. Ysgwydodd Brian y potyn wrth ei glust.

'O, does dim byd ynddo fo,' meddai'r ddynes, ac aeth i'w fan a gyrru i ffwrdd yn llawen.

Roedd hwyl wael ar Brenda y noson honno. Roedd y peiriant golchi dillad wedi torri'r pryn-hawn hwnnw, ac roedd y dyn wedi dweud y

byddai'n costio naw deg punt i'w drwsio. 'O lle dw
i'n mynd i gael y prês?' dywedodd. Tarodd ei
llygad ar glust y mwnci a oedd yn gorwedd
gerllaw. 'Chethon ni ddim dimai o brês gan yr hen
beth gwirion 'na. Pam na fyddai o'n gweithio? I
ddechrau, byddai gen i beiriant golchi dillad
newydd. A thŷ newydd. A gŵr newydd tasai hi'n
mynd i hynny . . .'

'Be sy'n bod arna i?' cwynodd Brian.

'Wel, does gen ti ddim swydd dda. Ti ddim yn
ennill digon. Ti'n pigo dy drwyn yn y gwely a ti wedi
mynd i edrych yn hen. Pam na allet ti fod fel dy
frawd, Carwyn?

Gwyddai Brenda fod hynny'n beth cas i'w
ddweud. Roedd Brian wastad wedi bod yn
genfigennus o'i frawd. Roedd o'n olygus, roedd
ganddo swydd dda a digon o arian.

Gwylltiodd Brian. Cipiodd glust y mwnci, a
dywedodd, 'Dw i'n dymuno bod fel Carwyn.'

'Ti'n gwastraffu dy amser,' mwmialodd Brenda.
'Fyddi di byth fel dy frawd.'

Y noson honno, newidiodd y tywydd. Er ei bod hi
wedi bod yn ddiwrnod hyfryd, erbyn i'r Beckers
fynd i'r gwely, roedd y cymylau wedi cronni ac

roedd y gwynt wedi codi. Rywdro o amgylch hanner nos, daeth taran fyddarol o rywle. Deffrodd Brenda gan sgrechian. 'Beth oedd hwnna?' gofynnodd yn grynedig.

Daeth ail daran. Yr un pryd, agorodd y cymylau, a daeth y curlaw i lawr fel afon, yn bwrw'r to a'r ffenestri nes bod y gwydr yn crynu yn eu fframiau. Cryfhaodd y gwynt. Plygodd coed Gerddi Uchaf, a changhennau'n cael eu rhwygo i ffwrdd a'u taflu ar hyd y stryd. Fflachiai mellt yn yr awyr. Yn rhywle, canai larwm lladron. Roedd cŵn yn udo a chyfarth. Sgrechiai'r gwynt, a morthwyliai'r glaw yn erbyn y tŷ fel bwledi.

'Be sy'n digwydd?' llefodd Brenda.

Aeth Brian at y ffenest yn ei ddillad nos, ond fedrai o weld dim byd. Roedd y glaw'n llifo i lawr y ffenest, fel llenni trwchus yn barod i amglychynnu'r tŷ. 'Mae hyn yn hollol hurt,' gwaeddodd.

'Ond ddwedodd rhagolygon y tywydd ddim byd am law!'

'Roedd y rhagolygon yn anghywir!' Roedd yna ffrwydrad uwchben Brian, a saethodd rhywbeth mawr coch heibio, a ffrwydro'n ddarnau o flaen y tŷ.

'Beth oedd hwnna?'

'Y blydi simdde. Mae'r tŷ i gyd yn chwalu!'

Ond mewn gwirionedd, roedd y tŷ'n dal ar ei draed. Y bore wedyn, wrth y bwrdd brecwast, sylweddolodd y Beckers eu bod nhw'n mynd i orfod talu am fwy na pheiriant golchi newydd. Roedd y storm wedi chwalu'r simdde a darn o'r to. Roedd car Brian wedi cael ei daflu ar ei ochr. Roedd darn o'r ardd ar goll. Roedd y pysgod i gyd wedi cael eu sugno o'r pwll ac roedd ffens yr ardd yn rhywle ar ochr arall y ddinas.

Yn rhyfedd iawn, eu tŷ nhw oedd yr unig un yn y stryd a oedd wedi cael unrhyw fath o ddifrod. Roedd fel petai'r storm wedi canolbwyntio'i nerth i gyd ar eu tŷ nhw yn unig.

'Dw i ddim yn deall y peth o gwbl,' llefodd Brenda. 'Be sy'n digwydd? Pam ni? Be ydyn ni wedi'i wneud i haeddu hyn i gyd?'

'Blwmin corwynt oedd o!' dywedodd Brian. 'Corwynt! Dyna be oedd o.'

Roedd Bart wedi bod yn gwrando mewn tawelwch ar ei rieni, ond roedd geiriau olaf Brian rywsut wedi'i atgoffa o rywbeth. Corwynt?

Meddyliodd yn ôl – at amser te y diwrnod cynt, ac at frecwast y diwrnod cyn hynny. Edrychodd ar glust y mwnci, yn gorwedd ar y bwrdd. Roedd ei dad wedi gwneud tri dymuniad, ond ddigwyddodd dim byd.

Neu efallai . . .?

'Mae hi'n gweithio . . .' sibrydodd. 'Clust y mwnci . . .'

'Am be ti'n malu awyr?' gwaeddodd ei dad.

'Mi weithiodd hi, Dad! Wel, rhyw fath o leia. Ond . . .'

Meddyliodd Bart am ychydig. Ond roedd o'n gwybod ei fod o'n iawn. Roedd yn rhaid ei fod o'n iawn.

'Ni ddim wedi cael unrhyw beth gan glust y mwnci,' dywedodd ei fam.

'Ond do, Mam.' Estynnodd Bart am y glust. 'Nethon ni dri dymuniad, a ni wedi cael tri pheth – ond dim y pethau iawn. Roedd o fel petai hi ddim yn ein clywed ni'n iawn. Falle dyna pam ei bod hi mor rhad.'

'Dydy ugain punt ddim yn rhad,' mynnodd Brian.

'Na, Dad. Ond pe bai clust y mwnci wedi bod yn gweithio'n iawn, byddai hi wedi bod yn fargen.'

'Am beth wyt ti'n siarad?'

Arhosodd Bart am eiliad. 'Beth oedd eich dymuniad cyntaf?' gofynnodd.'

'Pot o aur.'

'Na.' Ysgwydodd Bart ei ben. 'Eich dymuniad cyntaf oedd Rolls-Royce. A be ddigwyddodd? Fe ddaeth yna ddyn Siapaneaidd at y drws, a rhoi . . .'

Torrodd Brenda ar ei draws, 'Yn rhoi'r hen *sushi* afiach 'na i ni.'

'Ia, ond be ydy *sushi*? Rôls o reis! Chi ddim yn gweld? Doedd y glust ddim yn eich clywed chi'n iawn. Ofynnoch chi am Rolls-Royce, a gethoch chi rôls reis!'

'Yr ail ddymuniad oedd pot o aur,' dywedodd Brenda.

'Dyna ni,' meddai Bart.

'Ond doedd dim aur yn y pot,' dywedodd Brian.

'Doedd dim byd yn y pot,' meddai'i fam.

'Wel oedd wrth gwrs. Awyr! Aer! Pot o aer gawson ni. Roedd o bron yr un fath ond roedd o'n anghywir am yr ail waith. A wedyn, neithiwr . . .'

'O'n i'n dymuno bod fel Carwyn,' cofiodd Brian.

'Oeddech, a be ddigwyddodd?' Rhythodd Brian a Brenda ar Bart. 'Corwynt!'

Roedd tawelwch hir rhwng y tri. Roedd y tri'n rhythu ar glust y mwnci.

'Mwnci byddar oedd o!' gwaeddodd Brian.

'Ia.'

'Blwmin hec!' meddyliodd. 'Ond felly, dim ond drwy siarad ychydig yn gliriach, gallwn i fod wedi cael unrhyw beth o'n i'n ddymuno.'

Goleuodd llygaid Brenda. 'Mae un dymuniad yn dal ar ôl!' gwaeddodd.

Cipiodd Bart y glust. 'Ond fi bia clust y mwnci. Brynoch chi o i fi, a tro 'ma, dw i isho gwneud dymuniad. Alla i gael beic newydd. Alla i beidio â gorfod mynd 'nôl i'r ysgol byth. Alla i fod yn filiwnydd. Dw i isho gwneud y dymuniad!'

'Anghofia' hi!' Hedfanodd llaw Brian allan a gafael yn y glust. 'Dim ond un cyfle arall sy'. Fi sy'n dweud be sy'n digwydd yn y tŷ yma . . .'

'Dad . . .!'

'Rho fo i fi!'

'Na!'

Roedd y tad a'r mab yn ymladd am y glust tra'r oedd Brenda'n syllu, yn dal yn ceisio deall yr holl beth.

'Dw i isho fo, Dad,' gwaeddodd Bart.

'Dw i'n dymuno i ti fynd o'ma!'

Yr eiliad y daeth y geiriau allan o enau Brian, daeth fflach a ffrwydrad anferth, a chwmwl o fwg gwyrdd. Wedi i Brenda a Brian agor eu llygaid, roedd clust y mwnci'n gorwedd ar fwrdd y gegin. Doedd dim sôn am Bart yn unman.

Brenda oedd y cyntaf i ddod ati'i hun. 'Y twpsyn,' gwaeddodd. 'Y twmffat twp! Be ddwedaist ti?'

'Be ddwedais i . . .?' Cofiodd Brian ei eiriau, ac aeth ei wyneb yn hollol welw.

'Ddwedaist ti dy fod di'n dymuno iddo fo fynd o'ma!' Eisteddodd Brenda, a'i cheg yn llydan agored. 'Ein mab ni, ein hunig fab ni! Dyna oedd dy ddymuniad di!'

'Aros funud, aros funud!' Roedd meddwl Brian ar dân. 'Glywaist ti be ddwedodd Bart. Mae clust y mwnci wedi torri. Dydy o ddim yn clywed yn iawn.'

Ddwedest ti wrtho fo am fynd o'ma.

Ers hynny mae Brian a Brenda Becker wedi chwilio am Bart ar draeth Omaha yn Ffrainc ac yn Roma yn yr Eidal. Yn ddiweddar, symudon nhw i Omagh yng Ngogledd Iwerddon, ac maen nhw'n siŵr y bydd o'n ymddangos yno ryw ddiwrnod.

Ond dydyn nhw ddim wedi'i weld o . . . eto.

y stori

ARSWYD

leiaf a ysgrifennwyd
erioed

'Chydig o eiriau i egluro sut cyrhaeddodd y stori hon y llyfr hwn.

I egluro'n llawn, wythnos cyn i'r llyfr gael ei gyhoeddi, torrais i mewn i swydd-feydd Rily mewn stryd ddiolwg yn y cymoedd. 'Fallai nad oeddech chi wedi sylwi, ond Rily sydd wedi cyhoeddi'r llyfr rydych chi'n ei ddal yr eiliad hon, ac roeddwn i eisiau cael fy ngafael arno am fy mod i wedi cael syniad.

Yn gyffredinol, mae cyhoeddwyr yn bobl ddwl a diog. Ddoe, er bod nifer o bobl yn gweithio i gwmni Rily, doedd neb wedi sylwi fod un ffenestr wedi cael ei gwthio ar agor ynghanol y nos, a bod rhywun wedi ychwanegu ychydig o dudalennau at y casgliad o straeon arswyd a oedd yn gorwedd wrth ymyl y cyf-rifiadur, yn barod i gael eu hanfon at yr argraffwyr. Yr oeddwn eisiau ychwanegu fy neges fy hun i'r llyfr, felly fe ddes i â'r tudalennau hyn efo fi. Ni sylwodd unrhyw un,

67

a doedd neb yn poeni chwaith, ac os ydych chi'n darllen hwn yna mae arna i ofn bod fy nghynllun wedi gweithio, ac rydych chi ar fin darganfod beth yw gwir arswyd. Mae ar ei ffordd, felly byddwch yn barod.

Ysgrifennwr oeddwn i eisiau bod erioed, felly fe ysgrifennais stori arswyd (yn seiliedig ar fy mhrofiadau fy hun), a chafodd ei gwrthod gan bob cyhoeddwr yn y wlad oherwydd, yn eu barn nhw, doedd hi ddim digon arswydus. Nid oedd gan unrhyw un ohonyn nhw'r syniad lleiaf beth yn union oedd ystyr arswyd achos doedd dim un ohonyn nhw wedi llofruddio neb, tra'r oeddwn i wedi gwneud hynny laweroedd o weithiau.

Dewyrth Frederick oedd yr un cyntaf i fynd, yna fy nghymydog (dyn annifyr gyda mwstas a chath ddrewllyd), dau ddieithryn llwyr, actor oedd wedi bod ar Bobol y Cwm unwaith neu ddwy, ac un o Dystion Jehofa oedd wedi digwydd curo ar fy nrws tra'r oeddwn i'n coginio swper. I mi, daeth yr anturiaethau i ben pan stopiwyd fi gan hen heddwas twp fel yr oeddwn i'n cael gwared ar y corff olaf, a ches fy arestio a'm hanfon i'r ysbyty meddwl am oes. Wedyn, yn ddiweddarach, fe ddihengais i, ac fe ges i'r syniad hyfryd yr ydych chi'n darllen amdano'r eiliad hon, a syniad y gallwch ei grisialu mewn tri cham syml. Chwilio am un o'r swyddfeydd cyhoeddi crand yna a rhoi 'chydig o dudalennau yn llyfr rhywun arall (gydag ymddiheuriadau lu i Anthony Horowitz, pwy bynnag ydy o). Allan yn dawel a chuddio nes bod y llyfr yn cael ei gyhoeddi. Erbyn i'r llyfr ymddangos, aros yn un o'r siopau nes i ryw ffŵl druan ei brynu, wedyn dilyn y person hwnnw adre . . .

Lol meddech chi – ond ar yr eiliad hon, annwyl ddarllenydd, gallwn i fod yn aros y tu allan i'ch tŷ neu'ch ysgol, ble bynnag y gallech chi fod, ac os mai chi ydy'r un yr ydw i wedi'i ddewis, mae arna i ofn eich bod chi ar fin dysgu gwers am arswyd y byddai'n well gennych beidio â'i dysgu. Hwyrach y bydd Rily hefyd yn difaru na fasen nhw wedi cyhoeddi fy ngwaith flynydd-oedd yn ôl, yn arbennig pan fyddan nhw'n

dechrau colli darllenwyr mewn ffyrdd amheus,
fesul un. I ddeall yn iawn, mae arna i ofn
y bydd yn rhaid i chi ddarllen y stori hon
yn gyfan unwaith eto.

'Nôl â chi i'r dechrau. Edrychwch yn ofalus
y tro hwn ar y gair cyntaf ymhob brawddeg.
Sylwch yn arbennig ar y llythyren gyntaf
ymhob gair cyntaf. A rŵan, gobeithio eich
bod chi wedi sylweddoli pa mor ogoneddus o
orffwyll ydw i mewn gwirionedd - er, efallai
ei bod hi, i chi, eisoes yn rhy hwyr.

Ydych chi am fentro i
ryfeddod byd ofnadwy
Anthony Horowitz!?

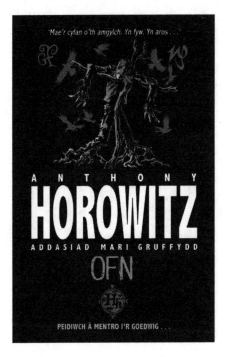

Mae Gari'n casáu cefn gwlad. Mae'n ddiflas yno. Ond mae Gari o dan fygythiad. Efallai fod cefn gwlad yn ei gasáu e hefyd.

Mae Kevin wrth ei fodd â gêmau cyfrifiadur, ond mae'r un ddiweddaraf yn torri'r holl reolau ac yn poeni dim am neb . . .

Mae Hari wedi cael damwain angheuol ond ai i'r nefoedd . . . neu i uffern y bydd e'n mynd?

Tair stori sinistr gan feistr y straeon arswyd.

www.rily.co.uk

RILY

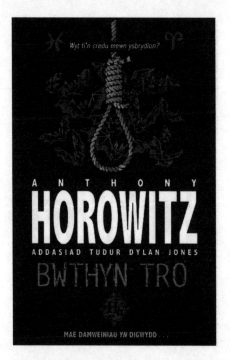

Mae cyn-berchnogion Bwthyn Tro i gyd wedi
marw mewn amgylchiadau rhyfedd.
Cyd-ddigwyddiad yw hyn yn ôl Ben.
Ond a yw hynny'n wir?

Mae Harriet yn cael breuddwyd erchyll ond
mae hi'n siŵr o ddeffro unrhyw funud, a bydd
popeth yn iawn . . . efallai . . .

Dwy stori arswyd gan feistr y storïau iasoer.

www.rily.co.uk

Noson Calan Gaeaf, ac mae'r teithwyr ar y bws
bron â marw eisiau mynd adref . . .

Wrth i'w dad godi ffawdheglwr ar y ffordd, mae Jacob
yn ei ddarganfod ei hun rhwng byw a marw.
Mae gan rywun gyfrinach farwol.

A phwy yw'r dyn â wyneb melyn yn llun bach Simon
– achos nid Simon sy'n y llun . . . nage?

Tair stori frawychus gan feistr y storïau iasoer.

www.rily.co.uk

RILY

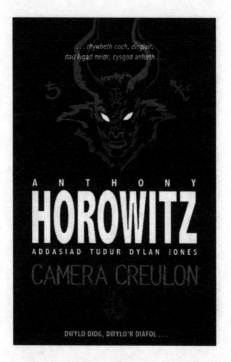

... rhywbeth coch, disglair,
dau lygad neidr, cysgod anferth ...

A N T H O N Y

HOROWITZ

ADDASIAD TUDUR DYLAN JONES

CAMERA CREULON

DWYLO DIOG, DWYLO'R DIAFOL ...

Mae Matthew wrth ei fodd gyda'r camera a
brynodd yn y sêl cist car, nes iddo ddechrau
sylweddoli fod popeth y mae'n tynnu
ei lun yn torri . . . neu'n marw.

Mae Henri'n darganfod yn fuan fod gan ei
gyfrifiadur ei feddwl ei hun, ac nid yw'r peiriant
yn ofni hapchwarae – gyda bywydau pobl!

Dwy stori arswyd gan feistr y storïau iasoer.

www.rily.co.uk

RILY

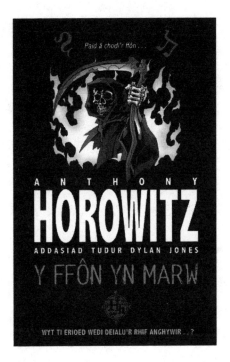

Mae ffôn symudol David o hyd yn canu, ond
nid galwadau arferol ydyn nhw.
Mae'n ymddangos fod ganddo linell
uniongyrchol i'r nefodd . . . neu uffern.

Mae gan Isabel deimlad cas fod baddon
Fictorianaidd ei rhieni yn aros amdani.
Bydd y dŵr yn goch, ond nid gan sebon.

Dwy stori dywyll gan feistr y storïau iasoer.

www.rily.co.uk

RILY